Matemáticas asombrosas de
Matemáticos EXCÉNTRICOS

DIRECCIÓN EDITORIAL: Patricia López Zepeda
COORDINACIÓN DE LA COLECCIÓN: Karen Coeman
CUIDADO DE LA EDICIÓN: Pilar Armida y Obsidiana Granados
REVISIÓN DE CONTENIDOS: Miguel Quintero
FORMACIÓN: Maru Lucero
TRADUCCIÓN: Eva Quintana Crelis
ILUSTRACIONES: Jin-wha Kim

Matemáticas asombrosas de matemáticos excéntricos

Título original en inglés: *Amazing Math by Eccentric Mathematicians*
(Series TONG 1226 – Math & Technology 02)

PRIMERA EDICIÓN: marzo de 2010
SEGUNDA REIMPRESIÓN: julio de 2015

Insurgentes Sur 1886, Col. Florida.
Del. Álvaro Obregón.
C. P. 01030, México, D. F.

Ediciones Castillo forma parte del Grupo Macmillan

www.grupomacmillan.com
www.edicionescastillo.com
infocastillo@grupomacmillan.com
Lada sin costo: 01 800 536 1777

Miembro de la Cámara Nacional de la Industria Editorial Mexicana.
Registro núm. 3304

ISBN: 978-607-463-107-4

Impreso en México/*Printed in Mexico*

Matemáticas asombrosas de
Matemáticos
Excéntricos

Texto de Seokku Ko
Ilustraciones de Jin-wha Kim
Traducción de Eva Quintana

¿Qué tiene de maravilloso ser bueno
en matemáticas? ¿Poder resolver en
un instante problemas difíciles
de sumas, restas y multiplicaciones,
y contar numerosos objetos?

Las matemáticas no sólo sirven para esto.

Con ellas puedes predecir eventos que
ocurrirán en el futuro, componer música
hermosa o calcular la posición de una nave
en el espacio exterior.

Si eres bueno en matemáticas, puedes hacer
cosas grandiosas.

¡Tal como lo hicieron Tales de Mileto, Pitágoras, Fibonacci, Descartes y Gauss!

Tales observó cómo crecían las aceitunas.
Pitágoras escuchó con cuidado los sonidos
que se producen al golpear el metal. Fibonacci
contaba conejos. Descartes veía las moscas que
caminaban por el techo. Gauss sumaba números
que no tenían nada que ver unos con otros.
  Y de estas formas tan distintas, ¡todos
ellos hicieron matemáticas!

¿No te gustaría ser bueno en matemáticas?

Es fácil: sólo tienes que observar lo que te rodea desde otra perspectiva.

Sé original, tal como lo fueron Tales, Pitágoras, Fibonacci, Descartes y Gauss.

Tales de Mileto

624? – 546? a. C.

Paciente observador de aceitunas

Tales siempre estaba observando algo o pensando
en algo con mucha concentración.

Era muy listo, así que cuando la gente de Mileto
–la pequeña ciudad de la antigua Grecia en donde
vivía– tenía alguna duda, acudían a él.

Pero otros se burlaban.

Una vez, Tales caminaba observando las estrellas
en el cielo y se cayó en un charco.

"¿Cómo puede ser listo alguien que ni siquiera es
capaz de ver lo que hay bajo sus pies?", decía la gente.
"Si Tales fuera tan listo, tendría mucho dinero".

Al escuchar esto, Tales decidió demostrarles
a todos que podía ganar mucho dinero gracias a sus
habilidades y comenzó a ir todos los días al huerto
de olivos.

¿Cómo planeaba Tales ganar dinero observando
las aceitunas?

En el tiempo de Tales, toda la gente utilizaba aceite de oliva para cocinar y encender las lámparas. Por eso, la gente cultivaba aceitunas para extraer su aceite.

Como Tales percibía hasta el más mínimo detalle, sabía que la cosecha de aceitunas de cada año era más o menos abundante dependiendo del clima. También sabía que este seguía un ciclo que se repetía a lo largo de varios años.

Tales observaba las aceitunas todos los días y les preguntaba a los campesinos cómo habían sido las cosechas de años anteriores.

Según los campesinos, para lograr una cosecha abundante de aceitunas debe haber lluvias moderadas y un clima templado.

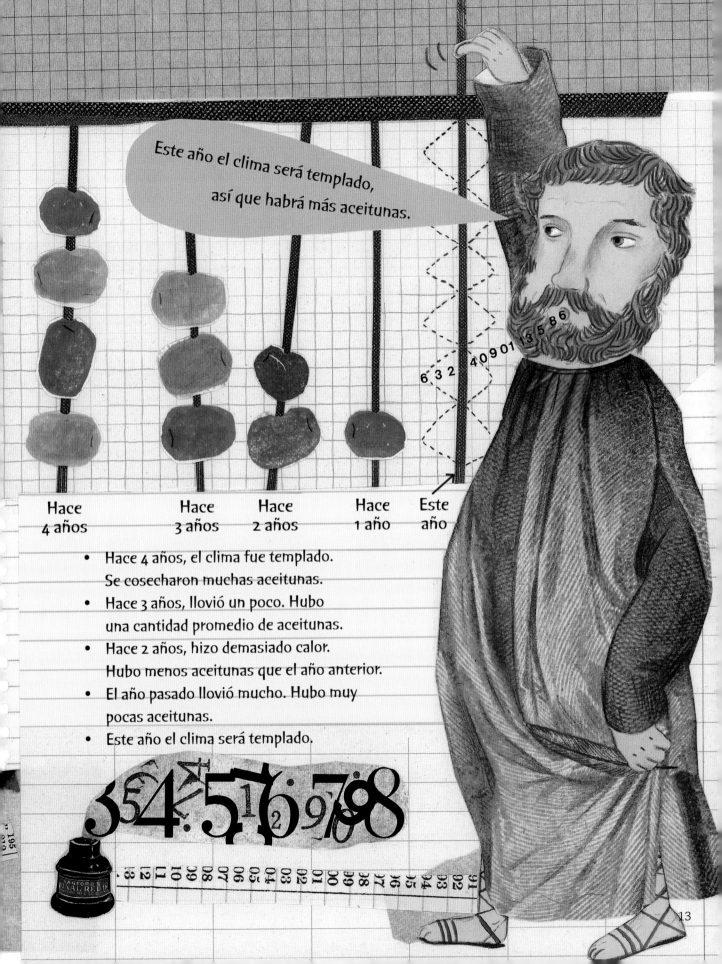

Este año el clima será templado, así que habrá más aceitunas.

Hace 4 años	Hace 3 años	Hace 2 años	Hace 1 año	Este año

- Hace 4 años, el clima fue templado. Se cosecharon muchas aceitunas.
- Hace 3 años, llovió un poco. Hubo una cantidad promedio de aceitunas.
- Hace 2 años, hizo demasiado calor. Hubo menos aceitunas que el año anterior.
- El año pasado llovió mucho. Hubo muy pocas aceitunas.
- Este año el clima será templado.

Como Tales había anticipado, ese año se cosecharon muchas aceitunas.

Después de la cosecha, la gente solía rentar prensas para extraer el aceite de las aceitunas. Pero ese año Tales había rentado todas las prensas y ganó mucho dinero alquilándoselas a los campesinos a un precio muy alto.

Si, como Tales, observas lo que te rodea con mucha atención y detectas qué acontecimientos se repiten cíclicamente, podrás predecir cuándo sucederán de nuevo.

Con las matemáticas podemos anticipar el futuro. El método de Tales aún se utiliza hoy en día para saber cómo será el clima de cada año y cuántas personas nacerán en un país en las próximas décadas.

TALES

Pitágoras

580? - 500? a. C.

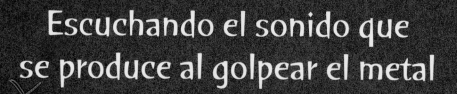

Escuchando el sonido que
se produce al golpear el metal

¡Clank, clank! ¡Cla-clank! ¡Bong!

Mientras golpeaban
el metal con sus martillos,
los herreros vieron que
Pitágoras, el reconocido
maestro, había entrado
en su taller.

Fascinado, Pitágoras escuchaba los sonidos
del hierro y recogía algunos pedazos de metal.
Luego observaba los martillos, los revisaba
con atención y los palpaba.

Sin hacer caso a los herreros, se preguntaba
entre dientes:

"¿Es por la forma del martillo o porque
es un tipo distinto de metal? ¿Depende
de la fuerza de los golpes?"

Pitágoras amaba la música y estaba interesado en fabricar
instrumentos musicales que produjeran sonidos armoniosos y bellos.

Cuando pasaba por la herrería, notó que a veces los sonidos
eran armoniosos y que otras veces no lo eran. Así que entró
precipitadamente en el taller, buscando averiguar qué hacía
que los sonidos del metal fueran diferentes más de otros.

Pitágoras escuchó con mucha atención el sonido
que producían los herreros cuando golpeaban
diferentes piezas de metal con distintos martillos.

Finalmente, entendió lo que sucedía.

Golpear pedazos de metal largos y gruesos con martillos pesados produce sonidos graves, mientras que golpear pedazos de metal delgados y cortos con martillos ligeros produce sonidos agudos. ¡El tono del sonido cambia según la longitud del metal y el peso del martillo!

Cuando regresó a casa, Pitágoras aflojó las cuerdas de su lira, las ajustó a diferentes longitudes y las pulsó. Cuanto más larga era una cuerda, más grave era su sonido, y cuanto más corta, más agudo sonaba. Si pulsaba dos cuerdas a la vez, los tonos resultaban más armoniosos si la más corta medía la mitad, dos terceras partes o tres cuartas partes de lo que medía la más larga. Con otras longitudes, los tonos no eran armoniosos y sonaban mal.

Pitágoras creía que todo podía resolverse con la ayuda de las matemáticas, así que le emocionó descubrir que los sonidos hermosos también pueden representarse con números.

Si usas el descubrimiento de Pitágoras, puedes crear melodías armoniosas y fabricar instrumentos musicales que producen sonidos bellos.

Sin las matemáticas, ¡no habría música!

$\dfrac{1}{2}$

1 2 3 4

FiboNacci

1170? – 1250?

El arte de contar conejos

La gente de Pisa pensaba que algo le había ocurrido a Fibonacci durante su viaje por África y Arabia, porque estaba totalmente obsesionado con los extraños números y las matemáticas que había aprendido por allá.

"El tonto de Fibonacci está contando conejos otra vez", decían.

Pero a Fibonacci le tenía sin cuidado que la gente hablara de él a sus espaldas, pues se le había ocurrido una pregunta muy interesante.

"En una jaula hay una pareja de conejos bebés. Dos meses después, la pareja empieza a reproducirse. A partir de este momento, tiene una pareja de conejitos cada mes. Si cada una de las nuevas parejas repite el comportamiento de la pareja original, ¿cuántos conejos habrá en un año?".

1 Enero

2 Febrero

3 Marzo

4 Abril

5 Mayo

24

Fibonacci resolvió el problema de la siguiente manera:

- En enero, sólo había un par de crías de conejo.
- En febrero, seguía habiendo un sólo par, porque los conejos aún no eran suficientemente grandes para tener bebés.
- En marzo, los conejos ya tenían un par de bebés. Había entonces 2 pares de conejos.
- En abril, la primera pareja tuvo otro par de conejitos. El primer par, los que nacieron en marzo y el par que nació en abril sumaban 3 pares.
- En mayo, la primera pareja tuvo otro par de crías y el par nacido en marzo tuvo su primer par. En total, había 5 pares de conejos. Por lo tanto, si el número de conejos aumenta cada mes de esta misma forma…

1
par

1
par

2
pares

3
pares

5
pares

... en un año habrá 233 pares de conejos en la jaula.

Fibonacci descubrió algo muy interesante en el número de pares de conejos:

- Si sumas el número de pares de dos meses consecutivos, obtienes exactamente el número de pares que habrá el siguiente mes.
- Si sumas el par de conejos de enero y el de febrero, obtienes los 2 pares de conejos de marzo.
- Si sumas el par de conejos que había febrero y los dos pares que había en marzo, obtienes los 3 pares de abril.

Los números que se obtienen de esta forma (como 2, 3, 5, 8, 13, 21 y 34) se llaman números de Fibonacci y se les encuentra con frecuencia en la naturaleza. Las semillas de los girasoles, por ejemplo, se organizan en espirales de 21 o 34 semillas. Lo mismo ocurre con los caracoles y con las escamas de las piñas de los pinos.

Los números tienen mucho que ver con las formas bellas de los objetos naturales.

1
2
3
4
5

8
5
3
2
1

5
5
8
9
144
23

34

22 21 20 19 18 17 16 15 14 13 12 11 10 9 8 7 6 5 4 3 2 1
23 24 25 26 27 28 29 30 31 32

Descartes

1596-1650

Cómo describir
el vuelo de las moscas

De pequeño, Descartes solía dormir mucho porque era muy débil.

Cuando creció, continuó durmiendo hasta tarde y se quedaba en cama un buen rato después de haber despertado

Un día, mientras Descartes daba vueltas en su cama, una mosca pasó zumbando a su lado. Luego se posó en el techo y comenzó a caminar.

Descartes se puso a observar lo que hacía la mosca en el techo.

Descartes ha de seguir dormido.

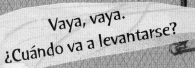

Vaya, vaya. ¿Cuándo va a levantarse?

Mientras miraba la mosca, Descartes se preguntó qué necesitaba para describir con precisión el camino que seguía al desplazarse de un lado a otro del techo.

"La mosca se movió de la esquina derecha del techo al extremo izquierdo".

Esta descripción no le daría a nadie una idea exacta del trayecto de la mosca. Hay muchas maneras de ir de la esquina derecha al lado izquierdo de la habitación.

De pronto, Descartes tuvo una idea.

Descartes siguió pensando y se dio cuenta
de que utilizando este mismo sistema, podía
describir no sólo el punto donde estaba la mosca,
sino también el camino que había recorrido.

Esta idea permite calcular con exactitud
la trayectoria de las naves espaciales para
dirigirlas al lugar deseado.

El descubrimiento de Descartes nos permite
describir la órbita de un cometa alrededor del Sol
y saber dónde se encuentra en cada momento,
¡incluso de día, cuando no podemos verlo!
Y todo esto se logra con números.

Gracias a las matemáticas, es posible...

18

17

16

15

14

13

12

11

10

9

8

7

6

5

4

3

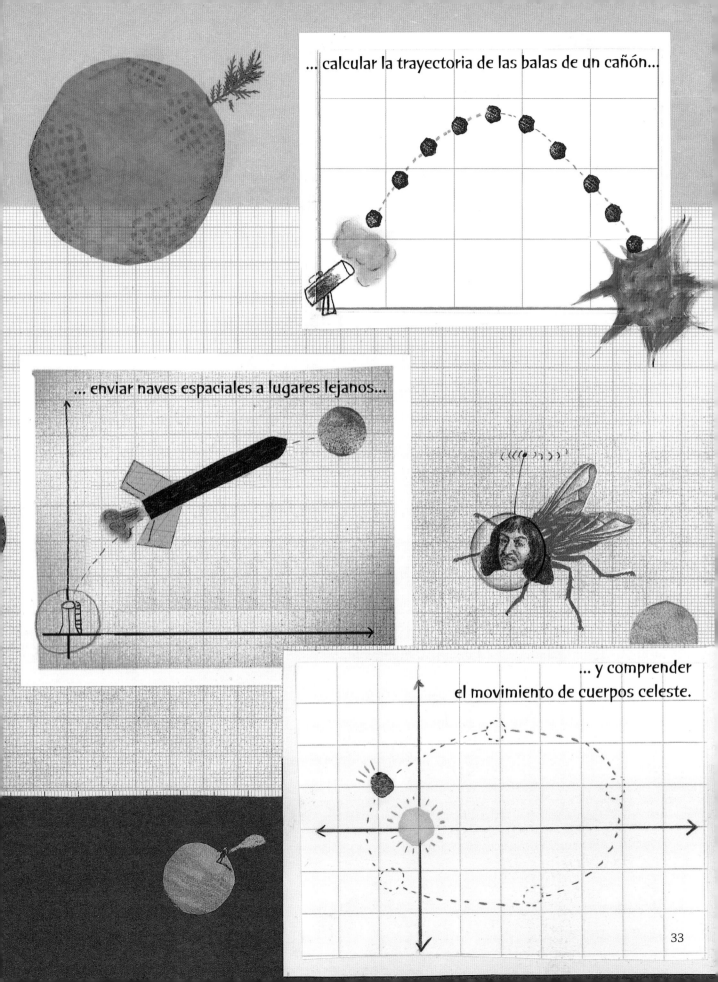

... calcular la trayectoria de las balas de un cañón...

... enviar naves espaciales a lugares lejanos...

... y comprender el movimiento de cuerpos celeste.

33

Gauss

'2'

1777-1855

El niño que se divertía en clase

El estricto y temible señor Buttner, maestro de Gauss, había pedido a sus alumnos que sumaran todos los números del 1 al 100. Gauss obtuvo la respuesta enseguida sin hacer muchos cálculos, y pasó el resto de la clase distraído, mientras sus compañeros se quebraban la cabeza haciendo suma tras suma.

El señor Buttner se enojó muchísimo, pues creyó que Gauss había escrito un número al azar porque no tenía ganas de resolver el problema.

¿Qué haré para darle una lección a Gauss?

El señor Buttner comenzó a revisar las respuestas
de sus alumnos.

—¡Estás equivocado! ¡Y tú también! ¡Todos están equivocados!
Finalmente, llegó el turno de Gauss.

El señor Buttner estaba seguro de que su resultado también
sería incorrecto. Pero Gauss fue el único alumno que obtuvo
la respuesta correcta.

El señor Buttner, que estaba impaciente por regañar a Gauss,
se quedó boquiabierto y le pidió que le explicara cómo había
hecho el cálculo.

$(1 + 100) + (2 + 99) + \ldots$
$+ (49 + 52) + (50 + 51) = 101 \times 50$

=5,050

$1 \quad 2 \ldots \quad 49 \quad 50$
$+100 \quad +99 \quad +52 \quad +51$
$\underline{} \quad \underline{} \quad \underline{} \quad \underline{}$
$101 \quad 101 \quad 101 \quad 101$

Si sumas el primer número
—es decir, el 1— y el último —el 100—,
el resultado es 101. Si sumas el segundo número
—el 2— y el penúltimo —el 99—,
el resultado también es 101.

Si sumas todas las parejas
de números que se forman de esta manera, obtienes
50 veces el mismo resultado: 101.
¡Así que la respuesta es 5 050!

De grande, Gauss se dedicó a examinar números más complicados, como los que permiten medir el tiempo que viven las personas.

Y se dio cuenta de que hay pocos números pequeños (personas que viven pocos años) y pocos números grandes (personas que llegan a ser muy viejitas) y que hay, en cambio, muchos números intermedios.

Pasa lo mismo con otros números, como las medidas de la altura y el peso de la gente.

Al encontrar, como Gauss, las reglas que siguen los números, es posible averiguar lo que deseamos saber y solucionar problemas que nadie más ha resuelto.

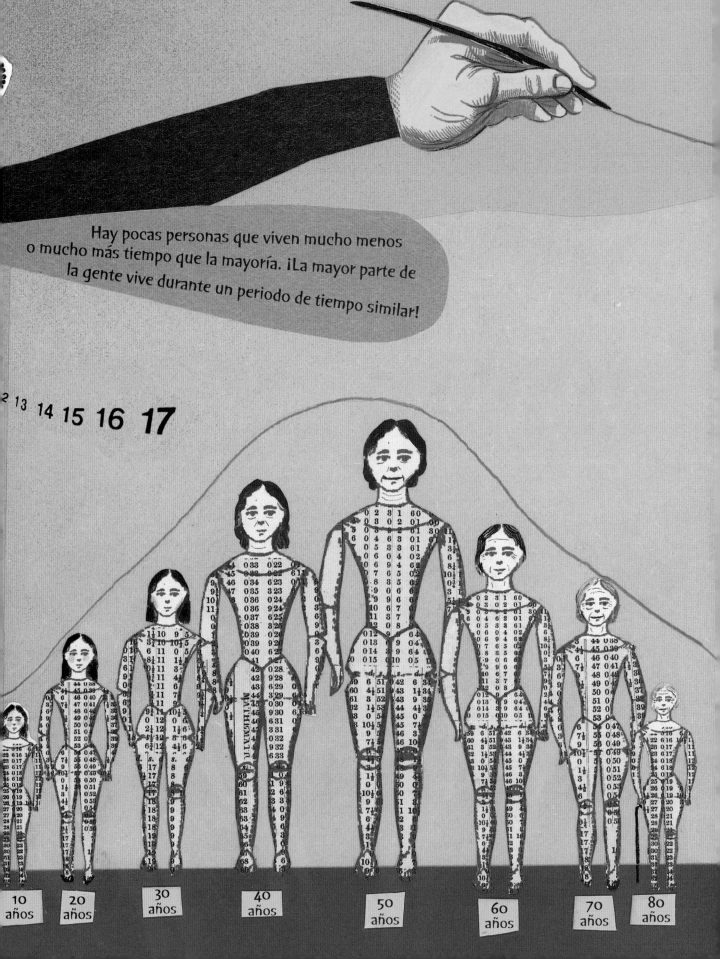

así vivieron estos matemáticos excéntricos

Conoce más sobre los matemáticos que resolvieron problemas que nadie más pudo solucionar y que, a través de las matemáticas, nos revelaron un mundo nuevo.

624? a.C.
546? a.C.

Tales, el primer matemático

Vivió en la ciudad de Mileto, en lo que hoy es Turquía. Fue uno de los primeros pensadores en reflexionar profundamente a partir de la observación directa de la naturaleza. Es famoso por haber calculado la altura de una pirámide sin medirla directamente. Para ello, comparó la longitud de la sombra de la pirámide con la sombra de una estaca a la misma hora del día.

Pitágoras, fundador de una hermandad de matemáticos

Este pensador griego creía que todo podía ser comprendido a través de los números. Fundó una hermandad de matemáticos, los cuales tenían como símbolo el pentagrama, es decir, la estrella que se forma al unir todas las esquinas de un pentágono.

580? a.C.- 500? a.C.

Leonardo Fibonacci, introductor de los números arábigos en Europa

Fibonacci fue un matemático italiano que exploró las ideas matemáticas de los árabes. Escribió el *Liber Abaci*, el primer libro europeo en el que se utilizan los números arábigos que usamos hoy día. En esta obra, Fibonacci describe el problema de los conejos.

1170?-1250?

René Descartes, el matemático que trabajaba en su cama

Este matemático y filósofo francés tenía la costumbre de reflexionar sobre problemas científicos mientras estaba en cama. Creía que, para ser bueno en cualquier área de estudio, primero había que estudiar matemáticas. En su libro *Discurso del método* se encuentra la famosa frase: "Pienso, luego existo".

1596-1650

Gauss, el niño prodigio

La gente llamaba a Gauss "el primero entre los matemáticos", pues ha sido uno de los matemáticos más importantes de la historia. Sus estudios ayudaron a establecer las bases de las matemáticas modernas. Calculó la órbita del asteroide Ceres utilizando sólo unos cuantos registros de observación, problema que los astrónomos de su época no habían podido resolver.

1777-1855

Las matemáticas en la vida cotidiana

Las matemáticas están presentes en todos los aspectos de nuestra vida y la hacen más práctica.

Las matemáticas dan vida a las computadoras

Sin las matemáticas, no habría computadoras. Para funcionar, utilizan el sistema binario, que consiste en convierten distintos tipos de información en unos y ceros, los cuales generan un texto, una imagen o el resultado de un cálculo. Tanto Babbage —diseñador de la primera computadora— como Turing y Von Neumann —creadores de la computadora moderna— eran matemáticos.

Las matemáticas en las fábricas

En las líneas de producción de las fábricas hay bandas por las que circulan los artículos a medida que se van armando. Estas bandas tienen una forma especial, que fue descubierta por el matemático alemán Mœbius. La banda de Mœbius tiene un solo lado, por lo que puede usarse en las máquinas durante mucho tiempo, pues se desgasta poco. Algunas cintas magnéticas para grabar también se elaboran siguiendo este modelo.

Matemáticas para pronosticar el clima

El pronóstico diario del clima que transmiten los noticieros es posible gracias a las matemáticas. Para poder predecir el clima, es necesario analizar la temperatura, la humedad, la dirección y fuerza del viento, y las fotografías de nubes. Para procesar toda esta información, los meteorólogos utilizan una rama de las matemáticas conocida como "teoría del caos", que revela patrones en fenómenos complicados e irregulares.

Las matemáticas y el mundo de la imaginación

Cuando ves películas de dinosaurios extintos o de vívidas escenas del futuro, puedes agradecérselo a las matemáticas. Para crear una escena en la que un dinosaurio se mueve, los cineastas utilizan una computadora que, a través de muchos cálculos, transforma los números en una señal de video. Gracias a las matemáticas, también es posible filmar una película con sólo 10 personas y crear una escena en la que aparecen miles de individuos.

¡Acción!

Intenta pensar como matemático

Los matemáticos encuentran matemáticas en todo aquello que los rodea.

Tales, Fibonacci y Descartes hacían matemáticas al observar fenómenos naturales que se repiten cíclicamente.

Pitágoras y Gauss descubrieron matemáticas en la música y en números que parecían no tener ninguna relación entre sí.

Al examinar el mundo desde un punto de vista distinto, los matemáticos descubren cosas nuevas, a pesar de que ven lo mismo que los demás.

Gracias a ellos, podemos usar computadoras, predecir el clima y explorar el espacio.

Las matemáticas nos ayudan a comprender mejor el mundo en el que vivimos.

¿Te gustaría ver y entender el mundo como lo hicieron Tales, Pitágoras, Fibonacci, Descartes y Gauss?

Tal vez, igual que ellos, tú puedas asombrar a la gente con increíbles descubrimientos matemáticos.

6

Impreso en los
talleres de
Editorial Impresora
Apolo, s.a. de C.V.
Centeno 150-6.
Col. Granjas Esmeralda
C.P. 09810, México, D.F.
julio de 2015